Était une bête

Était une bête est le vingt-et-unième titre publié par La Peuplade.

ISBN 978-2-923530-20-8

Dépôts légaux :
Bibliothèque et Archives nationales du Québec, 2010
Bibliothèque et Archives Canada, 2010

Graphisme et mise en page : Jason Milan Ghikadis
Révision linguistique : Pierrette Tostivint
Imprimé au Québec

Distribution pour le Canada :

Diffusion Dimedia
539, boul. Lebeau,
Ville Saint-Laurent, (Québec), Canada, H4N 1S2

La Peuplade
41, de l'Anse-aux-Foins,
Saint-Fulgence (Québec), Canada, G0V 1S0
www.lapeuplade.com

Conseil des Arts du Canada **Canada Council for the Arts**

SODEC Québec

Nous remercions le Conseil des Arts du Canada de l'aide accordée à notre programme de publication, ainsi que la Société de développement des entreprises culturelles (SODEC).

Laurance Ouellet Tremblay

Était une bête

poésie

Œuvre en couverture d'Elmyna Bouchard

La Peuplade

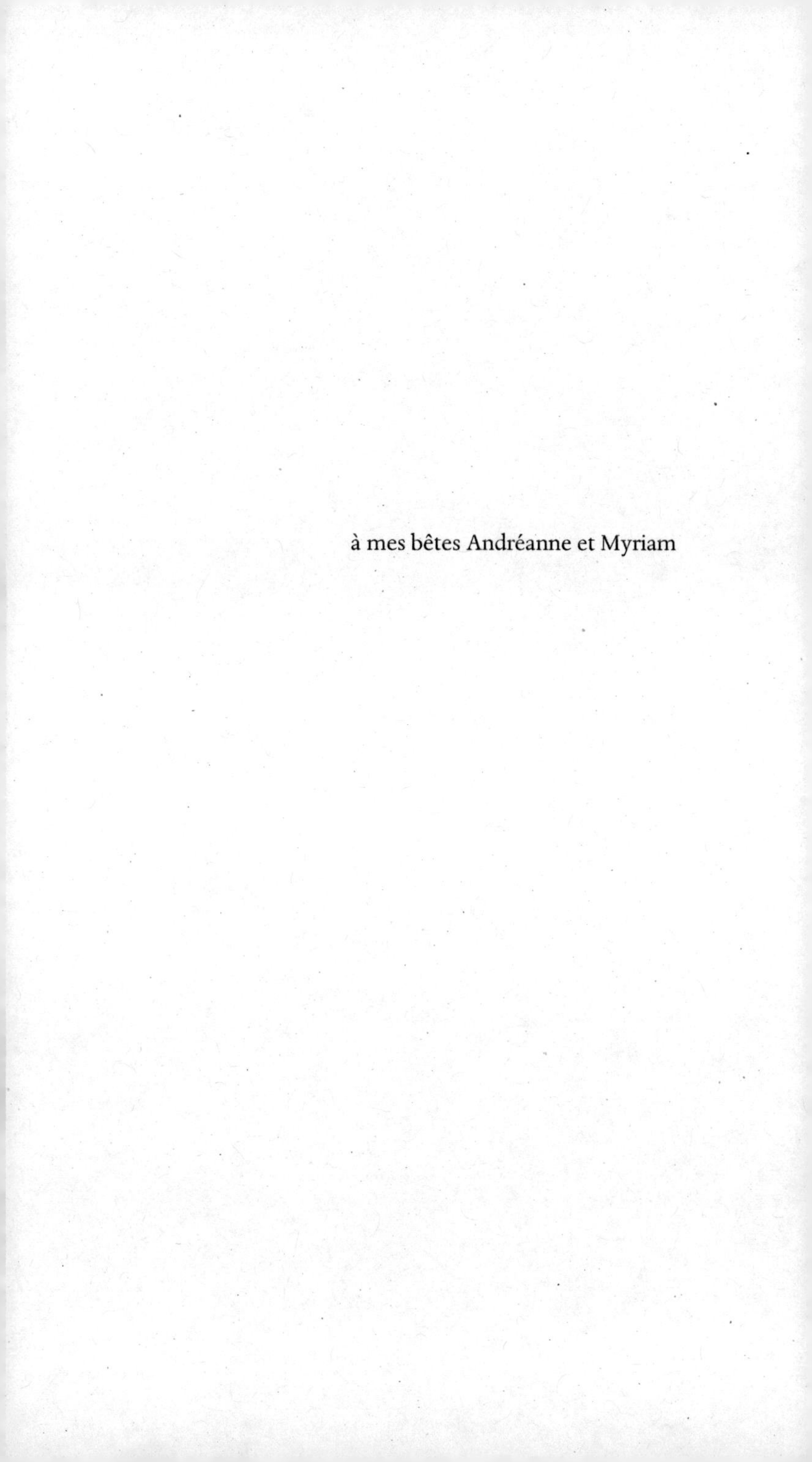

à mes bêtes Andréanne et Myriam

Parlant de la bête, elle apparaît.

Tantine

I

Les Sœurs Entonnoir
(école primaire Apostrophiée, Chicoutimi)

Sœur France
Sœur Thérèse
Sœur Jacqueline
Sœur Denise
Sœur Laurette
Sœur Enseigne
Sœur Couverte
Sœur Cent fois
Sœur Claves
Sœur Souris
Sœur Grimace

premier conseil (donné par maman, qui ne parle pas beaucoup, mais qui, je crois, m'aime un peu)

ne discute pas

Sœur Bolo
Sœur Arpège
Sœur Marde
Sœur Cuillère
Sœur Douche
Sœur Départ
Sœur Farine
Sœur Sûre
Sœur Histoire
Sœur Écorce
Sœur Sans vie

deuxième conseil (donné par Sœur Bleue)

aplanis-toi
deviens
ce qui nous reflète
multiplie nos visages

Sœur Arbuste
Sœur Loupe
Sœur Love
Sœur Eiffel
Sœur Zoom
Sœur Enfant
Sœur Niche
Sœur Ébène
Sœur Navet
Sœur Face
Sœur Épine
Sœur Rouge

troisième conseil (donné par Sabrina, mon amie d'une journée, partie avec les autres qui ne veulent pas que je sois dans la cour ; elle m'a donné ce conseil pour que les jours passent plus vite, que les années s'accélèrent)

compte tes pas
à chaque jour
chaque promenade
baisse les yeux et
compte tes pas

concentre-toi
ne pense à rien d'autre

Sœur Vision
Sœur Tronçon
Sœur Terre
Sœur Fer
Sœur Alèse
Sœur Thèse
Sœur Hymne
Sœur Hyène
Sœur Chine

quatrième conseil (donné par le prêtre, l'abbé Grade)

doucement, tais-toi
respire calmement

il n'y a jamais eu de lutte
c'était perdu d'avance

Sœur Caisse
Sœur Chou
Sœur Liche
Sœur Friche
Sœur Boule
Sœur Loup
Sœur Sept
Sœur Vague
Sœur Tertre
Sœur Poche

cinquième conseil (donné par Tantine, qui n'est pas ma mère, pas ma sœur, pas mon amie, mais un peu de tout ça quand même ; c'est le meilleur conseil, c'est une tactique)

deviens louve
déesse
poussière
histoire

Sœur Foule
Sœur Blé
Sœur Dé
Sœur Crue
Sœur Lue
Sœur Bue
Sœurs Simone et Denise (jumelles)
Sœur Corps
Sœur Sabre

sixième conseil (donné par le chœur des Sœurs, comme cent voix qui récitent une prière, mais ce n'est pas une prière, c'est un ordre)

nous ne sommes pas une armée
alors cesse ta guerre, petite

Sœur Urge
Sœur Colle
Sœur Trime
Sœur Trappe
Sœur Latte
Sœur Foutre
Sœur Gin
Sœur Fine
Sœur Crime

septième conseil (donné par moi, à moi, avec tout ce que cela comporte de failles et de sillons dans mon crâne)

tire tes cailloux
chamaille, chicane
énerve
taraude
sois fauve

fais-toi bête

II

ballon botté
(formation des équipes dans la cour, dix personnes
par équipe, pas une de plus)

Équipe # 1

Chef: Georges (brun, rapide)

Corrine (longues tresses, mère coiffeuse)
Andréanne (blonde, miel)
Éric (p'tit criss)
Véronique (amoureuse de Jean-Pierre)
Jean-Pierre (amoureux de Véronique, aussi de Krystel, secret)
Pauline (ballerine)
Pierre-Olivier (voix grave, terrible)
Thomas (rasé, rat)
Catherine (grande, grande)

mon nom, mon nom, mon nom

Équipe # 2

Chef: Jean-Luc (futur pompier)

Sabrina (traîtresse)
Mathieu (casquette rouge)
Cindy (sauvage)
Marie-Michèle (mauvais coups)
Krystel (toujours belle)
Marie-Hélène (peureuse)
Kevin (habite loin)
Mia (cheveux cassonade)
Paul-David (jamais là, dents croches)

un nom, seulement
un nom

plus grande, l'équipe
le cercle
la tribu

juste une fois
juste pour voir

ce ne serait pas si terrible
une personne de plus
au cœur de vos troupes

deux bras, deux jambes
pour un jeu
pour un jour

Équipe # 3

Chef: Pierre (grande piscine)

Hector (drôle de peau)
Victor (adopté)
Mireille (grosse)
Alexandrine (bégaie)
Marie (Pierre, Andrée, Jeanne)
Jacques (père mort, pleure tout le temps)
Hortense (bizarre)
Jean (mangeur de bonbons)
Marlène (lève sa jupe)

j'attends l'appel, je tremble
transparente

vous pourriez changer
mon nom, m'appeler
la rouge
la corne
le chou
le virage
l'équerre
l'image
le poil
l'envie
la tour

vous pourriez le faire
je veux dire changer
mon nom, m'appeler

Équipe # 4

Chef: Sandra (la meilleure)

Guillaume (bon en dessin)
Stéphane (hockey)
Laurence (c'est presque moi, mais non, c'est une autre)
Joanie (petit nez)
Benoît (chandails trop grands)
Laurie (clémentines)
Carl (mère vieille)
Geneviève (belles bottes)
Édouard (pas de boîte à lunch)

je suis tache blanche
absinthe
carie
coquille, chambranle
lanterne et semoule
pervenche

je suis tout
sauf un nom

je suis torrent
boule et sueur

je suis quarante cœurs qui battent à se fendre, qui restent sur la ligne

je connais le vertige de la chute
et la honte
jamais bien loin
soudée à tous mes mouvements
comme une peau, la honte

Équipe # 5

Chef: François (tordu, bossu, laid)

Jeanne (salope)
Julien (sale)
Émilie (fuck)
Jonathan (amour, ben non)
Maryse (morte)
Patrick (presque mort)
Béatrice (robe de brasque)
Simon (pas de bras)
Caroline (étêtée)

c'est petit
et ça bruisse
c'est léger ce silence
déposé
sur autant de rage

III

tout contre, parmi
(le moment où j'ai commencé à perdre des plumes, à marcher plus lentement, à parler avec moi-même et à écouter)

liste du matériel

cour, balançoires, bascules
réfectoire
classes, craies, crayons
uniformes
bleus

enfants
enfant

petite
évade-toi, raconte
dessine
écris

sors-moi d'ici

liste du matériel (suite)

chapelets, croix
livres
missels parfaits, pages
minces
lisses comme voiles

prières apprises
par cœurs
par têtes
par ventres

tourne
repars
plie bagages

sauve-toi, petite
décrisse

liste du matériel (dernière, finale)

pots
pinceaux
quarante cailloux
feuilles et gommes
et souliers

illusionne-moi

mens
invente
abuse

joue-toi de moi

une question (je te la pose, chaque jour, sans réponse ;
tu te tais, tu te défiles)

si je m'en vais, quels mots diras-tu ?

à qui parleras-tu
si tu restes
tout contre, parmi
eux

ta vie
ton chant
ta folie
sauve-les

laisse-moi

deux questions (je te les pose encore, c'est ma voix
que tu entends, de loin en loin)

si je pars demain
combien de temps avant
que tu ne tombes?

des minutes ou des heures?
ou quelque chose de rapide
comme un éclair
un crac

je n'en sais rien
je n'y ai pas pensé

je te sens glisser lentement
déjà
tu n'as plus rien à dire

cède, va

souvenir # 1 (le seul et unique, le terrible ; je m'y accroche pour quelques secondes encore, pour finir, avant de partir)

escaliers que je déboule
sans être vue

pas de sang
pas de bleus
pas de témoin

parfait

fuir maintenant

ce n'est rien
ce n'est pas grave
ça passera

dernier conseil (donné par moi, à toi qui restes là, debout, dans la cour)

protège ta douleur
garde-la au ventre
vivante
elle est ton arme

IV

se rompre
(constat d'une scission)

avertissement :

ce n'était pas un jeu
pas un caprice
c'était une petite
ligne
un fin sillon de vie

c'était là,
au cœur de la séparée
de la sciée en deux
juste là
le lieu de ma résistance

c'est toi qui te détaches
ce sont eux
qui me délivrent enfin

nous, qui ne rions plus ensemble
vous, qui ne riez plus

c'est toi
qui ne meurs pas

chercher tunique, chercher collants
chercher chemise
cheveux, joues, lèvres
chercher toi, chaque matin
chercher moi

t'es où ?

si je ferme les yeux
tu ne m'apparais plus
au creux de la paupière

j'oublie ton nom

tu glisses hors de moi
tu ne portes plus
ma chair, ta peau

perdre mère
perdre père, perdre enfants
perdre livres
perdre plumes, yeux, sutures, perdre
souffrance

je me disloque et ça brise
profond

les os
la cage
les plumes

ça casse tout

être ligne, être belle
être droite
être devoirs, dictées, encre, bonbons, être
en avant, être au centre, en arrière
être sans poids
un vide

mon corps se rompt
se plie
se tord et se déchire
se meurt de toi qui pars

mais je marche encore droit
je ne te demande pas
de revenir

trouver langage
trouver langue
mais pas de bouche
trouver trois cent trente pas
trouver tes restes, tes traces
ta totalité
trouver tête, survie

ça ne me fait jamais mal
pour vrai

c'est juste pesant
ma cage vide et les restes de toi
ma bête
dans un sac

quitter phalanges, empreintes, traces
quitter visage
détacher l'épiderme

devenir ventouse, méduse, vitrine
translucide

tu étais ma tour
ma grande
ma louve

mon sceau de courage

le tranchant de ma lame

laisser aller poids
peur, honte, joie
mal
laisser les sœurs, les croix, les genoux, les jeux
laisser son ventre, le poids du ventre

tu étais ma bête
mon cri, mon tremblement

ma rage
mon pouvoir et ma faille

ma petite histoire

V

parler toute seule
(conversation avec une *perdue pour toujours*)

m : salut

l: salut

m : c'est ta bête

l: je sais

m : ça va ?

l: ça va

l: toi ?

m : ça va

m : ça fait longtemps

l : je sais pas, j'ai arrêté de compter

m : ça fait 744 jours

l : peut-être

m : tu t'ennuies ?

l : non, pas vraiment

m : t'es où ?

l: Chicoutimi, comme d'habitude

l: toi ?

m : Istanbul, mais je pars demain

l: tu vas où ?

m : je sais pas

l: c'est beau là-bas ?

m : oui, c'est fou, t'aimerais ça

l: je pense pas

m : tu fais quoi ces temps-ci ?

l : pas grand-chose, j'vais à l'école

m : c'est tout ?

l : oui

m : c'est comment sans moi ?

l : terrible

m : tu m'en veux ?

l : oui

m : tu vas me pardonner ?

l :

m : tu vois Andréanne ?

l : ben oui, chaque jour

m : et puis ?

l : rien

m : elle t'aide pas ?

l : non

m : désolée

l : t'en fais pas, je survis

m : les parents vont bien ?

l : sais pas, on parle pas beaucoup

m : ils se sont aperçus de quelque chose ?

l : absolument pas

m : rien du tout ?

l : rien

m : tu fais quoi après l'école ?

l : piano

m : ça avance ?

l : semi

m : qu'est-ce que tu joues ?

l : rien, je fais des gammes en triolet

m : pas de morceaux ?

l : non, juste des gammes

m : d'accord

l : toi, tu fais quoi le jour ?

m : pas grand-chose, je marche, je mange

l : tu dors où ?

m : je dors pas, je pense à toi

l : ah bon

m : je suis bien

l : je sais

l : t'as peur des fois, toute seule ?

m : non, pourquoi j'aurais peur ?

l : je sais pas, t'es loin, tu pourrais te perdre

m : c'est facile de se retrouver

m : toi, t'as peur ?

l : oui, tout le temps

m : de quoi ?

l : de mourir

m : tu te souviens de La bête ?

l : La bête ?

m : tu sais, La bête lumineuse

l : ah, le film, avec toi

m : c'est ça

m : tu sais que je suis encore ta bête

l : je sais

m : tu sais quand le chasseur dit vous m'avez créé une bête, un être incroyablement lumineux, un être incroy…

l : je sais, arrête

l : tu vas revenir un jour ?

m : non, c'est toi qui vas venir me chercher

l : je pense pas

m : crois-moi, tu vas venir

l : quand ?

m : je sais pas

l : t'es beaucoup trop loin, c'est sûr que non

m : tu vas faire quoi demain ?

l : sais pas

m : tu vas te souvenir de moi ?

l : sais pas

Un extrait d'une version antérieure d'*Était une bête* a été publié dans le magazine enRoute et a gagné le prix littéraire Radio-Canada Poésie 2009.

La Peuplade

POÉSIE

Caron, Jean-François, *Des champs de mandragores,* 2006
Dawson, Nicholas, *La déposition des chemins,* 2010
Dumas, Simon, *La chute fut lente interminable puis terminée,* 2008
Lussier, Alexis, *Les bestiaires,* 2007
Neveu, Chantal, *mentale,* 2008
Neveu, Chantal, *coït,* 2010
Ouellet Tremblay, Laurance, *Était une bête,* 2010
Sagalane, Charles, ^{29}*carnet des indes,* 2006
Sagalane, Charles, ^{68}*cabinet de curiosités,* 2009
Turcot, François, *miniatures en pays perdu,* 2006
Turcot, François, *Derrière les forêts,* 2008
Turcot, François, *Cette maison n'est pas la mienne,* 2009

ROMANS

Bouchard, Mylène, *Ma guerre sera avec toi,* 2006
Bouchard, Mylène, *La garçonnière,* 2009
Bouchard, Sophie, *Cookie,* 2008
Bouchard, Sophie, *Les bouteilles,* 2010
Caron, Jean-François, *Nos échoueries,* 2010
Leblanc, Suzanne, *La maison à penser de P.,* 2010
Turcot, Simon Philippe, *Le désordre des beaux jours,* 2007

ENTRETIENS

Ducharme, Thierry, *Camera lucida : entretien avec Hugo Latulippe, 2009*
Inkel, Stéphane, *Le paradoxe de l'écrivain : entretien avec Hervé Bouchard, 2008*

L'art doit peupler le territoire

www.lapeuplade.com

Achevé d'imprimer sur les presses
de Marquis imprimeur à Cap-Saint-Ignace,
en octobre 2010.